KB198089

꽃의 자술서

이 도서의 국립중앙도서관 출판예정도서목록(CIP)은 서지정보유통지원 시스템 홈페이지
(http://seoji.nl.go.kr)와 국가자료종합목록 구축시스템 (http://kolis-net.nl.go.kr)에서
이용하실 수 있습니다.
(CIP제어번호 : CIP2019027539)

꽃의 자술서

2019년 7월 22일 초판 1쇄 인쇄
2019년 7월 30일 초판 1쇄 발행

지은이 | 신정일
펴낸이 | 孫貞順

펴낸곳 | 도서출판 작가
(03756) 서울 서대문구 북아현로6길 50
전화 | 02)365-8111~2 팩스 | 02)365-8110
이메일 | morebook@naver.com
홈페이지 | www.morebook.co.kr
등록번호 | 제13-630호(2000. 2. 9.)

편집 | 손희 최서영
디자인 | 오경은 박근영
영업 | 손원대
관리 | 이용승

ISBN 978-89-94815-98-5 03810

값 10,000원

꽃의 자술서

신정일 시집

작가

▪ 自序

시가 내게로 왔던 그 때,

길을 걷다가 무심코 만나는 어떤 대상이나 사물을 통해 섬광처럼 스치고 지나가는 생각이 있었습니다. 하루에도 수십 번 씩 다가온 생각의 실체를 찾기 위해서 글을 썼습니다. 그러나 나이가 들수록 그런 전율의 순간이 가뭄에 콩 나듯 더디게 옵니다.

시詩인지 아닌지도 모르는 감각이 왔던 '그 때'로부터 시간이 강물처럼 흐른 뒤 시집을 엮습니다. 부끄럽기도 하고 허전한 느낌도 듭니다. 왜 그럴까요. 온갖 시름을 앓고 살았지만 아직도 경험 못한 일들이 태산처럼 무거워서 그런지도 모르겠습니다.

다시 시작하렵니다. 길을 찾을 수 없을 것이라는 절망감에 몸서리치다가 길을 찾고서야 '길만 있어도 행복하다'고 여기던 그 순간을, 비로소 시詩로 만날 수 있을 것 같습니다.

2019년 7월 초이레 밤

전주에서 신정일.

차 례

2부

3부

4부

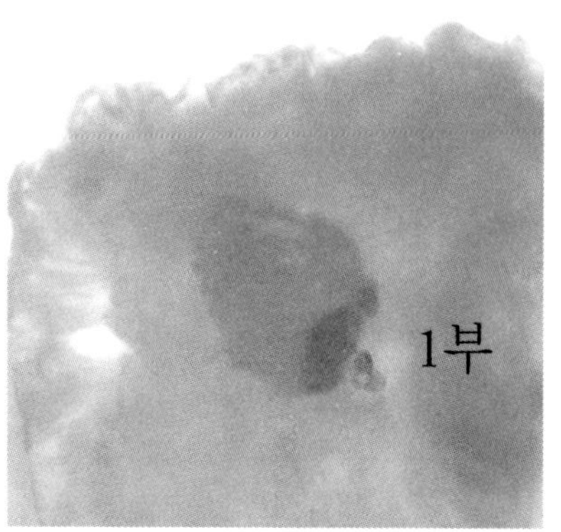

1부

눈길

눈보라의 군단이 몰려오는 길
무릎이 푹푹 빠지는 그 길을 걸었네

삶이 죽음이 되고 죽음이 삶이 되는 눈길을 눈물이 범벅이 되어 걸었네

아버님 장례비를 빌리러 가던
그 하얀 새벽 길

나비 한 마리

얼크러지고 설크러진
마음 내려놓자
보이네
저 멀리서 나를 향해 날아오르는
노란 나비 한 마리

묵은 기억 속에서

묵은 기억 속의 전도서를 꺼내어 밤이 늦도록 몇 번이고 읽으면 헛되고 헛된 세월 안으로 쓰라렸던 절망들이 줄지어 일어서고 추억을 간직한 바람소리가 우수수 저리 쓸린다

기억하리라는 다짐마저 희미한 시간의 끝에서

벽

눈뜨면 벽
차디찬 벽이 있고
가까스로
밀어뜨리면
다시 벽이 있다
밀면 벽
다시 밀면 벽
무너뜨려도
무너뜨려도
쏜살같이 나타나
태산처럼 나를 압도한다
이대로
벽속에 갇혀
미쳐도
세상 끝나도
남을
벽

나는

내 마음의 벌판에
한 마리의
새도 살지 않고

내 마음의 하늘에
한 조각의 구름도
흐르지 않고

내 마음의 고통 속에
이제 한 줄의 시詩도
살지 않는지

겨울 찬바람만
휙휙 허공을 가르는
새벽이 참 길다

구절초

"아름답다!"
누가 말하지 않아도
홀로 벼랑에 핀 저 꽃,
바람에 흔들린다

내 마음 아슬하다

꽃을 보러 갔다가 강만 보고 돌아와서

봄날이라기에 꽃을 찾아 강가로 나갔건만 봄이 일러서 그런지 꽃은 드문드문 피었고 버들강아지만 물결에 흐드러졌다

그렇지, 꽃이 어디 내 마음에 들기 위해 꽃망울 터트리겠는가 자연스레 시절을 따라 피고 지거니

내 조바심만 강물 빛에 늘어진 버드나무에 푸른 봄이 촉촉하다

꽃의 자술서

"나는…마치 개새끼 같군"

프란츠 카프카의「심판」중 요제프 카

1981년 9월 안기부에서
자술서를
쓰다가

나는…

죽어
시체屍體 되어
땅에 묻힐지
물에 띄울지
허공에 떠돌지
모를
형광등 불빛만 환한 방구석에서
다시 못 볼 것 같은
푸르른 하늘
흐르는 구름
바람에 흔들리는 나뭇잎새

그리운 사람들
떠올리며
나는

써야 하는데
목이 메어
생각 하다가 눈물이 흘러서

나는…
가난이라고
배고픔이라고
시詩라고

나는
실오라기 하나 걸치지 못하고
발가벗겨진 나는
입술을 깨물며
가출을, 출가를,

휴전선休戰線을 철원을
백오미리 야포를
제대 후, 아교 공장을
벽돌과 모래를, 신제주를,
아파트를, 그랜드 호텔과 제주도의 관공서를

나는…
썼다
어설픈 사랑도
죽음을 목전에 두신 아버지,
실패한 사업
친구들 이름
어머니

나는 몇 시냐고 물어보며
기다릴 사람들 생각하며
죽은 개 이름까지
세 살 무렵 죽게 아팠을 때

죽지 않았음이 잘못이었다고까지
썼다

나는 그러나
아닌 것은 아니라고
누구(김대중)를 몇 번 만났다든지
어디(평양)를 몇 번 가서 김일성을 만나고 왔다든지
김일성에게서 자금을 얼마나 받았다든지, 하는
간첩은 아니라고
썼다

아무리 캐도
더 나올 것 없는
지고 싶어도
더 질 것이 없는
살아온 생生을
남김없이 썼다

그리고 나는

마침표를 찍고, 인주 묻혀서
자술서에 인장을 찍었다
내 젊은 날의 꽃은 영구보존
종이 속에 갇혔다

그때 그 사람

그는 여섯 사람 중에 나에게 유일하게 친절했다.
어디가 어딘지도 모르는
밖이 안 보이는 낯설은 방
하나의 소지품도 없이
팬티마저도 걸치지 못한 나에게
팔월의 성하盛夏가 무색하도록
오싹 한기를 느끼며 얼어 있는 나에게,
둘만 있을 때에는 담배도 권하고
자기는 문학에 뜻을 두었었다며
김승옥과 서정주를 좋아했다고
그리고
근간의 소설小說과 시詩의 경향을 얘기도 했다

넥타이 단정히 맨 그는
잠바 차림의 그의 동료들이
나를 데리고 놀(?)때는
고개 숙이고 담배를 피우다가
그들이 사라지면
나를 안쓰럽게 바라보았다

그는 나에게 깍듯이 공손했고,
빰을 때리기는커녕 욕 한 마디 선물하지 않았는데,
단 마지막 자술서를 쓸 때
"다른 글은 당신이 잘 쓰실 테지만
이것만은 내가 부르는 대로 쓰시오" 하였다
나는 그가 시키는 대로, 부르는 대로 썼고 마지막에
"힘들었지요, 이곳에 왔던 것이 어쩌면 영광이라고 느
낄 날이 있을 것입니다."
라고 말했다
세월 흘러 시내를 걸어 가는데
눈 안에 선뜻 안기며
허리를 굽히던 사람
얼결에 인사는 나누었지만
'누구였더라.'
뒷모습 봐도 모르겠더니,
열 걸음쯤 걸어 고려당 앞을 지날 때
진열된 빵을 보니 배고픔처럼 떠오르는
그 속에서 유일하게 사람같이 보였던
그때 그 사람

그때

차라리 울고 말았더라면
목 터져 가슴에 고인 피
쏟아내고 말았더라면
바람이 불고 지나는
너의 곁에서
쓰러지고 말았더라면
꽃 이파리 하나 떨어지고
날개 퍼덕이던 새
날아오르던 때,
그 때
잠들고 말았더라면

조금만 더

조금만 더 비우면 되는데,
조금만 더 참으면 되는데,
조금만 더 배고프면 되는데,
조금만 더 걸어가면 되는데,
조금만 더 들으면 되는데,
조금만 더 쓸쓸하면 되는데,
조금만 더 고독하면 되는데,
조금만 더 한숨 쉬면 되는데,
조금만 더 사랑하면 되는데,
조금만 더 생각하면 되는데,
조금이다 조금,
그 조금을 견디지 못하고
서두르다가 막을 내린다

아!
조금

누가 있어

누가 있어
나의 가슴에 손을 얹고
삶이 헛되다 말하리

저문 오솔길을 걸으며
발에 밟히는 돌멩이마다
가까운 인연이라 속삭일 제

가만히 눈길 열어 흐르는 별빛에 서리서리 감기는 시냇물소리

누가 있어
내 가슴에 손을 얹고
'그러나 삶은 살아야 할 무엇' 이라고
작은 목소리로 외칠 수 있으리

느티나무 아래에

못다 핀 꽃들이
저녁노을에 걸리고
한 무리의 기러기 떼 그 위를 지난다

지나온 길들이 안개에 젖어
회색빛 화석으로 돌아가는 길에
내 편지는
밤바람에 떨고 있다

얼마나 더 걸어야
마을이 어귀가 보이고
거기 느티나무 아래
피곤한 몸을 뉠 수 있을 것인가

저녁 무렵 숲속을 산책을 하듯이

산 위에 구름은
노을빛에 물들고
어디선가 새 한 마리
푸드덕 날아가는데

천천히 걷는 발걸음 소리에 내가 놀라
걸음을 멈추는 시간

내가 나인지 뭔지
구분이 안가는 그런 시간 속으로
서서히 내가 스며들고

그런 시간 속에,
어둠이 서서히 내리는 길 위에서
내가 나마저 잃어버리는 그런 산책을 하듯
산다면 얼마나 좋을지

돌아가리

돌아가리
꿈꾸던 시절
그 가운데에
어설픈 미소 곁으로
돌아가리

내놓을 것 하나 없어도
부끄럽지 않은
어스름 황혼
지친 몸 그곳에 돌아가
누우리

꿈 아닌 것
꼬집어도 아픈 생시生時도 아닌
좋지도 나쁘지도 않은
그 시간 속에
돌아가
잠들리

바람의 노래

귀 기울여 들으면
푸른 하늘에 비치어
붉게 타오르다
못내 우는 너의 울음이
서늘한 바람 결에
닿는다

이제
접어야 할
한 시절을
하나하나 더듬어
차곡차곡 묻고서
떠나야 할 시간 앞에
너의 슬픔은
핏빛으로 메말라 가고

되돌릴 수 없다는 듯
스치고 지나간 바람의 노래

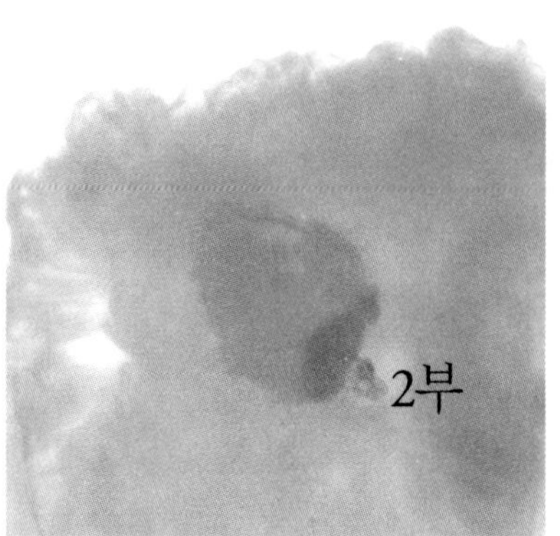

2부

별, 다 타오르지 못한

눈이 바람에 녹아 흐르듯 시간 속을 흘러 가슴 안에서
다 타지 못한 날들이 초롱초롱 밤하늘에 반짝이는구나

겨울편지 1

한겨울인데도
여간해서 눈은 내리지 않습니다
을씨년스럽게 왜 이리 비는 내리는지
여기저기서 눈을 기다리는 소문과 낱말들이
빗물에 젖어 반짝입니다
기다림마저 눈을 감아버렸는지
당신이 보고 싶은
내 입김도 빗소리에 감깁니다

겨울편지 2

늦은 저녁
내리는 눈
마음은 넉넉합니다
제 나름대로 부는 잔바람이
저들과 섞여
분화구처럼 움푹 패인
가슴 한 귀퉁이에
소복이 쌓여도
마음 상하지 않을 것입니다

더는 기다릴 것이 없는
늦은 시간에
당신도 저 눈송이를 나처럼 망연히
바라보고 계시는지요.

겨울편지 3

보슬비라도 내릴 듯한
느슨한 이 겨울 아침에
아무 일 없다는 듯
호주머니에 두 손 찌르고
당신은 걸어오고 있습니다
뭐를 찾는 듯 간혹
뒤돌아보며 고개를 갸웃합니다
추워도
눈물도
잃어버린 꿈도 아닌
커피 물을 끓이며
손등에 툭툭 불킨 핏줄을 쓰다듬으며
당신의 뒤를 바라봅니다

저녁놀

누구일까
문 열면
보이지 않는

무엇일까
귀 기울이면
들리지 않는

어디서 왔는가?
물어도
대답이 없는

잡으려
손 저어도
잡히지 않는
서녘 하늘에 타는
노을이여

그대

불러도
뒤돌아서
눈길 한번 안주고
총총히 가는 그대

돌아올까 그 자리
머물러 서서
잊어버리고 기다리면
흘러 구름만 흘러 따라가고

긴 그림자 드리운
서녘하늘에
노을이 참 붉네

엽서

꽃이 피고 진 뒤 비가 내려도 바람이 불어도 단풍이 눈물을 뚝뚝 흘리고 눈이 내려도 눈이 녹아도 새싹이 돋아도

내 우편함은 언제나 비어 있다

자유

꼭 기다린다는
소식만 전해주렴
살아서가 아니라면
죽어서라도
일편단심 기다린다는
소식만 전해주렴
그 길이 천 리라도
그 길이 만 리라도
산 넘고 물 건너
휴전선 너머라도
비바람 눈보라 헤쳐
한 달음에 달려서 가마
울며 웃으며
달려서 가마

보일 듯 말 듯

아무도 없는 길,
정적을 벗 삼아
걸어 가다보면
보일 듯 말 듯 이어지는 길,
휘어지는 모퉁이
축 늘어진 나뭇가지에
무수히 살랑거리는
푸른 잎들

그 아래를 지나노라면
문득 그리운 사람
전화번호를 누르다가
그만둡니다 행여 당신이
전화를 받지 못하면 어쩌나 하는
내 마음이 오늘도
보일 듯 말 듯 이어집니다

눈

너는 내려
추녀 끝에 서 있는
나를 덮는다

희디흰 너를 맞으러
손바닥을 펴면
기억 속으로 침몰하듯
아픈 상처를 끄집어내는
손가락 마디마디의
떨림이 코에 시리고

오래 보고 싶은 그대는
시간 속의 눈사람이 되었다

그대에게 2

그대의 가을은
뜨거운 땀방울이
마르기도 전
도착한다

그대의 눈 안에 서린
부챗살들이
예감도 없이 다가온
태풍의 예리한 사랑에 부러지고
그대의 손안엔
죽은 계절이
물보라로 피어오르고 있다

잘린 팔을
기억의 서랍 속에 묻고서
일어나는
그대의 정신은
난도질하는 추억의 파편들에

밀려
거듭 넘어지고

우뚝 선 그대 콧날을 스치고 떠나가는
찬바람이
못다 한 말들을 들쑤시며
참았던 그리움을 터트리듯
앞 다투어 코스모스는 피어나고
그대 신음 하는 창살 앞에

그대에게 3

그대 시름 얹어 돌아가는
신작로 길에
그대가 밤마다 썼다가 구겨버린
하얀 유서들이
나비처럼 나풀거린다
가로수마다
겨울옷 입을 채비를 갖추고
몸을 흔드는 황혼
그대의 황량한 그림자

아카시아

천천히 걸어가면
찾아올 것 같았다
어깨를 툭 치며
둘러 세워놓고
씩 웃는 얼굴에서
아카시아 꽃내음새가
날 것 같았다
더 천천히 걸었다
그냥 그 자리 주저앉아
멍한 채 기다렸다
너는 오지 않고
찬바람만 휙휙
어깨를 스치고 지나갔다

너

이렇게 길을 걷다 보면
돌아올 날 있을까?
눈 내리다 멎은 하늘에
별은 빛나고
별과 별 사이로
구름이 두둥실 떠가고
서녘 하늘에 새로 돋는 별 한 점

내 뜨거운 심장을 꺼내주고 싶은 사람아

차창 안에서

차창 밖의 너는
차창 안의 나를
못 본 것이다
너는 웃고 있다
네가 보는 하늘을
나는 네 눈 속에서 보고
네가 말하는 소리를
입 모양으로 듣는다

우리는 모른다
유리창 밖의 세계와
유리창 안의 세계의
제각기 다른 움직임을
또 다른 쓸쓸함과 기쁨을

너는 작별을 모르고 웃고 있다
잠시 멎었던 차가 떠난다

너를

끊어지는가 싶으면 이어지고.
이어지는가 싶으면 끊어진다
인적 끊어진 산길
나뭇잎 바스락거리는 소리 들으며
헐벗은 나무 앞에 서면
어디선가 들리는 새소리
산의 빗장을 푸는 저 새소리 따라
길은 문득 이어지고
나는 오늘도 자꾸만
너를 뒤돌아본다

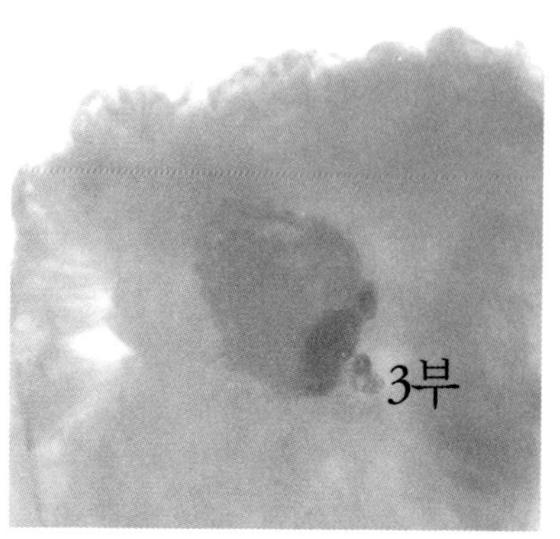

3부

귀뚜라미

놀랄 일도
숨을 일도
눈 크게 뜰 일도
한숨지을 일도
남아 있지 않은
이제

어디선가 울고 있는
귀뚜라미

덕태산 산자락에서 풀을 베다

숫돌에 낫을 간다 이쪽 저쪽 번갈아 간다 햇빛에 날을 세운 뒤 허리춤에 수건 하나 차고 풀을 벤다

어린 잣나무가 보이지도 않게 무성하게 자란 잡풀을 한 줌의 풀을 받치고 벤다 산은 가파르고 풀 베는 소리에 놀라 가끔씩 꿩이 날아가고 느릿느릿 독사도 지난다 내가 허리 구부리고 지나온 고랑이 아스라이 멀고 줄 지어 바람에 흔들리고 있는 여린 잣나무가 보이는 나무 그늘에서 그새 무디어진 낫을 간다 얼마나 이 낫날이 파랗게 서고 수많은 슬픔과 분노와 절망이 되풀이 지나간 뒤에야 풀들은 잣나무 아래 잦아들고 이 나무엔 잣이 열리고 큰 나무로 그늘을 드리우다가 질 좋은 목재가 될 것인지

그 사이에 나의 삶은 얼마나 깊은 상채기가 생기고 시름이 깊어질 것인지 생각하면서 바라보면 풀들은 가슴 가득 차오고 다시 줄잡아 낫을 휘두른다 분노도 없이, 슬픔도 없이 삭 삭 삭

중화성리 옛집

열쇠조차 망가져
녹슨 괭이로 문을 열면
썩은 새물이 방안 가득 고여
가슴 안에 파고들던 그리운 시절,
가슴 아리면서도 그리워하던 옛집 드디어 헐렸구나.

귀 기울이고 있으면
숨넘어갈 듯한 아버님의 기침소리 들릴 듯 싶고,
생솔가지 타던 매캐한 연기 냄새
코끝을 스칠 법한데,
온 세상 들썩이던 새마을 운동에도
역사처럼 살아남아 마을 중앙을 지키고 있던
한 때는 부끄러웠고, 한 때는 눈물겹던
작은 집, 결국은 없어졌구나.

저어기 우리의 꿈이 잠자던 곳도
저어기 호롱불 밝히던 곳도
저어기 어머님 새벽마다 밥 짓던 자리,

소리도 내지 못한 채 눈물 훔치던 곳도
부서진 한 줌 흙으로 남아
따스한 햇살에 불타는구나.

살아가는 것이 그리 대수라고
바쁘다는 핑계 아닌 핑계로
해마다 두어 번씩,
바람처럼 왔다가 눈길만 주고 돌아가던 옛집,

지붕을 뒤덮은 풀이며
머리에 내려앉던 썩은 지푸라기
행여 남아 있을세라 바쁘다고 돌아서던 그리운 옛집,
그 집터에는 그날의 꿈만 남아
바람결에 윙윙 거리고,
따스한 햇살에 바람만 속절없구나.

갈대

어머니가 행상을 나간 지 열흘 째 되던 날
아버지가 애 업은 여자를 집으로 데리고 와서는
나와 동생더러 어머니라고 부르게 했다
우리는 영문도 모른 체
행상 나간 어머니가 돌아오기만을 기다렸다
며칠 후 집으로 돌아온 어머니는
아무 말 없이 윗방으로 가 머리를 파묻은 채
어깨를 들썩이며 소리 죽여 울었다
이미 오래 전 일이다. 하지만 강변길을 걸어 갈 때면
나는 아직도 어머니의 목소리를 듣는다.
서걱거리는 갈대의 울음소리 같던
가슴 미어지는 그 소리를,

소나기

소나기 꽃이
하늘에서 떨어지면
느닷없이 신작로엔
미꾸라지, 송사리
물고기 떼들이
벌되어
나비되어
더불어 떨어졌다
견딜 수 없고
참을 수 없는
반가움들
파닥파닥 뛰면서
오는 꽃들을 맞았다

고향에 돌아와

내가 죽음이라고 수백 수천 번을 쓴 종이는 탁자 위에서 선풍기 바람에 사시나무 떨듯 떨고 있다

죽어도, 죽어도 고개 쳐드는 죽음 앞에 곡哭도 없이 향불조차 피어오르지 않고 상여도 없이 무리지어 떠나는 길목에 앞서간 죽음을 뒤따르는 상제도 죽고 까마귀도, 불길한 꿈도 저주에 분노에 우뚝 선 칼날도 죽고 썩은 시대도 죽는다

나는 묘비를 쓴다 '다 죽었노라' 영문도 모르고 이름도 없이

남관에서

몇 번이고 그대 찾는다
그대 가슴속에
숨어서 나부끼는
깃발은
얼씬조차 않고 있는데

첩첩이 포개진 산들이
순간 속에 살아와
순간 속에 죽어간다

바라보면 어디에도 없다
비 멎어도 서녘 하늘에
일곱 빛 무지개는 나타나지 않고
허우적대는 긴 팔은 공허하다

결단코 물러설 수 없는
마음 속 다짐만이
숨죽이며 울고 있고

오늘도 그대 가슴 속
활활 타오르는 그리움은
그 실마리조차 보이지 않는다

늦가을

어깨에 책보 매고
집에 가는 오리 길
노랗게 익은 나락
몇 모가지 꺾어들고
한 줄기 한 줄기
까먹다 보면
은행나무 우람 턴
집 앞이 성큼
마루 밑에 할머니 신발
보이지 않아
깻다발 널려 있는
마당가에 서면
넘어질 듯 기울었던
초가 지붕 사이로
새악시 웃음 같이
숨어 있던 빨간 홍시

송년음악

아버님 돌아가시기 하루 전날 아침
고등학교 다니는 여동생이
학교에 가기 전 밥을 먹다 말고
"아버지 나 꿈꾸었는데,
이빨이 우수수 다 빠져버렸어"
"그래 나 죽을랑 갑다."
그때 어머니가
"아니 그런 꿈은 아주 재수 좋은 꿈이라더라.
길에서 돈 주을랑 갑다."

그날 밤 금난새가 지휘하는
베토벤의 합창 교향곡을 송년음악으로 들으셨던 아버지
이른 새벽 펄펄 내리는 눈발 맞으며
먼 길 떠나 가셨다

백운 가는 길에

버스가 산길에 접어들자
눈이 내린다
눈은 낯익은 길을 덮고
나무를 덮고,
산을 덮고, 끝내는
내 마음까지 덮어버릴 것이다
그 희디흰 순결을 위하여
초겨울 아침 나는
흔들리고 있다

내가 가는 이 길에
흰 눈이 내리고
그 길을 갔다 되돌아오는 것이
정해진 나의 운명運命일진대,
깊고도 오랜 나의 고난苦難이
어느 한 지점에선
이름도 없는 들꽃으로라도
피어나리란
가없는, 끝없는 바람이

눈발이 희끗희끗
차창에 어리고,

손가락으로
탄생을, 죽음을 써 본다
무덤 속까지 따라올
영원永遠한 이름도 써 본다

도란도란 옆 좌석에선
밀린 이야기들이 꽃을 피우고
잠든 어머니 곁에
차가운 바람이 스치는지
나뭇가지에 쌓인 눈들이 우수수 떨어지며,
쓰라렸던 과거와 불안한 미래도
더불어 떨어진다

결국 돌아보면 아무도 없고,
이승에서 남겨둘 표적들 또한
부질없음이

쌓인 눈처럼 녹는다

고개고개 넘어서 가는 이 길 위에
몇 시간을 보내고 그리고
돌아올 것이란 나의 계획처럼
흰 눈은 펄펄 내리고
허망하게 살아나는
나를 나무라는 나의 소리가
자꾸 커져 가는 시간에
버스는 산굽이를 돌아간다

우뚝 선 설산雪山 아래
조그맣게 서서
어린 시절로 돌아가야 하는데,
부끄러움 탓인지 추위를 겁내는지
까닭모를 망설임으로
나는 내리지 못하고
차 안에서 서성거리고만 있다

어머니

새벽닭이 울기도 전
어둠을 안고
당신은 뒷동산으로 올라간다

마을 개들이 짖을세라
발소리도 죽이고 올라선 산 날망은
소한 추위가 온몸을 할퀴고
얼은 생솔가지를
뭉툭한 낫으로 조심스레 꺾는다
터진 목장갑 틈새로
부서진 송진과 솔잎들은 스며들어와
굽은 손을 더욱 거북하게 만들어도
엷은 이불 속으로 파고들던
아이들 생각에
혼자선 머리에 이기도 겨웁게
한 다발을 채우고 나서야
희미한 새벽 산길을 내려온다

썰렁한 정제문을 밀치고
식은 아궁이에 생솔가지를 꺾어
불을 지피면
매캐한 연기를 내뿜으며
불길이 살아난다
언젠가 한 번은 피어날 희망같이
불길은 구들장 밑으로
빨려 들어가고
이불 속에 웅크렸던 아이들은
따뜻해지는 방안 온기로
팔다리를 뻗고서
생솔 타는 냄새를
당신의 젖냄새처럼 맡으며,
꿀맛 같은 아침잠에 빠져 들고
당신은
독에서 쌀을 퍼내어
밥을 짓는다

풀

이제 더 이상 그대는 자라지 않는다 처서 지나 더운 햇살도 수그려져 찬바람이 그대의 풋풋한 살갗 틈새를 헤집을 때

가을이 깊어갈수록 울음소리가 깊은 풀벌레들을 달래 줘야 한다

그대의 못다한 사랑을 걸친 이슬방울이 구슬구슬 차갑게 빛나더라도

손님

누구인가 말도 없이 예고도 없이 한밤중에 문 두드리고 서 있는

후줄근한 비가 종일을 내리고도 밤새 내리는 빗속을 우산도 없이 허리 구부린 채 문 두드리고 서 있는

유리창에 빗물이 떨어지는 한밤중에 어서 문 열라 더 세게 문 두드리는

지렁이

어디서 나왔는지
무슨 일 있어 나왔는지 모르나
허둥지둥 습기 찬 몸 전체에
덕지덕지 붙은 모래알들이 힘겨워
겨우 겨우 기어가는 지렁이를 보았는지

줄지어 개미떼는 모여들고
햇살은 따갑고
파리 떼는 날아다니는데
가던 길 다시 오가며
그 자리만 맴도는
지렁이 한 마리

도와주지 못하고 그 자리 떠나와서
죽었을까 궁금해 하는
한 사내를 보았는지

난초

한두 송이도 아닌 무려 다섯 송이나 솟아난 꽃대가 오늘은 얼마나 자랐을까? 창문 열 때마다 가슴을 설레게 하지만 눈여겨보면 생각에 훨씬 못 미치고

내 마음의 낱장을 들킨 것 같아 난초에게 얼굴 붉히다

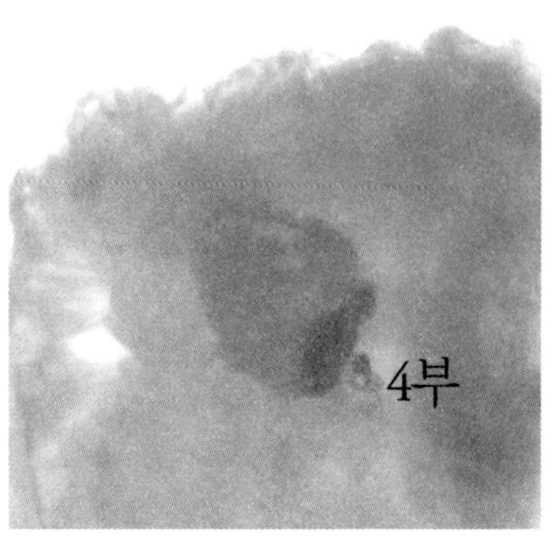

4부

그때까지는

그때까지는
그래,
숨이 멎어 내가 사라질
그때까지는

해야 할 말 다하고
써야 할 말 다 쓸
그때까지는

밤이거나
낮이거나
눈보라가 치거나 말거나

무슨 수를 쓰든
기를 쓰고
살고
똑똑히 보고 듣고
가슴 속 깊은 곳에

새겨 둔 뜻을
잊지 않고
살아야지

그래, 그때까지는
죽은 듯
아니 없는 듯

꿈

꿈속에서도
꿈 꾸는
꿈을 꾸네

미움과 절망과 한숨과 세월과 증오와 저주와 용서와 화해와 눈물이 짓이겨지는

발을 헛디뎌
가슴 쓸어내리며
내가 나를 찾는
꿈속에서
꿈을 또 꾸네

봄비 내리는 어느 날

봄비 내리는 어느 날
이른 새벽에 냇물을 건너는 자에게
복이 있나니,

이른 봄날에 비를 맞으며 길을 걷는 자에게
평온이 있나니,

새벽에 내린 이슬에 마음이 젖을 것이고
봄비에 온몸이 무거워질 것이요,
그리고 어느 시간 젖고 젖은 그 몸이
무게를 못 느끼고 무심해 질 것이니

나는 곰방

자네는 누군가?
이름은 무엇인가?
어디에서 왔는가?

갓제대한 사람,
남들은 내 이름을 곰방이라 하고,
전라도 촌구석에서 왔지

곰방은 무엇인가
나도 잘 몰랐지
처음엔 그냥 곰방이라 들었고,
나중에야 알았다네
'높은 곳으로 물건을 옮기는 사람,'
유식하게 말하면 '고운반高運搬'을 줄여서 말하다가 보니
'곰방'이 된 것이지

그러면 높은 곳엔 무엇을 옮기는가

사람들이 오매불망 그리워하는 꿈과 희망이지,
천국에서 보낸 천사의 대리인인가
아닐세,
그러나 천사와 무관하지도 않네
이름조차 알지 못하는 사람들이
오순도순 살게 될 집을 짓기 위해
벽돌을, 모래를, 시멘트를 옮기는 것이 나의 임무지

동트는 아침부터, 해지는 저녁까지
잠시 쉬면서 옮긴 벽돌이, 모래가 시멘트가
건물이 되고 아파트가 되는 그 경이를 위하여

그러면 자네에게 무엇이 남는가
말해주겠네
내가 지게로 져 올린 수천 만장의 벽돌,
내가 져 올린 수천 차의 모래,
내가 구부리고 져 올린 수백 톤 시멘트의 무게가
거대한 빌딩들이 되고, 아파트가 되고, 관공서가 되는

그 사이
　나의 희망은 자꾸만 고통이 되고 절망이 되어
　나를 슬프게 만들지

　슬픔과 절망에 찌든 한 사내는 아무런 내색도 없이
　그 건물 아래 하염없이 서 있고,
　그게 바로 나일세

눈

바람의 감촉이 뒤집어 쓴 먼지의 부피에 따라 달라지는 것을 바라보는 시간
눈은 내린다

저만치 걸어오다 잠시 한눈 파는 사이 되살아오는 젊음같이 눈은 내린다

눈 위의 구름
구름 위의 하늘
하늘을 떠안은 하늘 그 하늘 아래 철없는 시절처럼 눈은 내린다

밤의 교차로

밤 깊어
투입된 첨병호에
비는 내리고
펴든 우산살에 가려
쓸쓸하게 비는 내리고
작전 중인데도 세상은 그대로 평화롭다
사람들은 서둘러 제 갈길 가고
포장마차는 띄엄띄엄 서 있으며
간판의 불빛들은 하나둘씩 꺼져 간다
물먹은 솜처럼 무겁게
몇 개의 가방을 주렁주렁 들고
자정이 다 된 시간에 돌아오는
이 시대의 아이들을
초로의 아버지는 기다리고
젖은 첨병호는 을씨년스레
헤트라이트 불빛에 빛나며
우리들의 허공을 향해 겨눈
카빈소총의 총구는 싸늘하다

'주막' '짚신' 암구호는
손바닥 안에
세월 속에 마모되어가는 장승처럼
자꾸 지워져 가는데,
동서남북 어느 쪽에서 올 것인가
분명하지 않은 적들은
나타날 기미조차 보이지 않고,
껌벅껌벅 잠은 내리다가
걱정에 쫓겨 달아난다
경매 날짜를 앞두고
집안 구석구석 포스터처럼 붙은 압류딱지와
주머니마다
제 때 못 내고 밀린 납세 고지서

돌아누운 가을이 다시 눈떠올 리 없건만
두려운 겨울은 눈앞에 다가오고
마음을 짓누르며 소리쳐 달려오는 것들은
도처에 눈 부라리며 계엄군처럼 서 있고,

희미한 불빛이 껌뻑이는 거리거리마다
서러움처럼 비는 내리고 있다
배고픈 화물트럭은 포장마차 앞에서 멎어
오뎅 국물에 소주 한 잔을 마시고
꿈의 조각들이 밤안개가 되어
피로에 젖은 마음에 내려도
적들은 나타나지 않고
우리의 침묵뿐인 작전은 계속되고
밝아올 새벽은 멀기만 했다

신제주 제원아파트 공사장에서

"못난 놈은 못난 놈 얼굴만 봐도 즐겁다?"

반가운 얼굴들 모여
벽돌을 져 나르고
사모래를 비비고
벽돌을 쌓고

검게 그을린 얼굴로
막일에 패인 주름살로
굵은 손마디로
국수를 먹고
막걸리를 마시고
신세타령을 하면서도

집을 짓는다
지어도, 지어도
뜬구름 같은
내가 사는 집과는 다른,
짓고 나면 그 뿐인
희망의 집

피로에 지친 얼굴들
해가지고 어둠 스며들면
사모래 통 씻어놓고
연장통 소중히 챙겨들고
어둠과 함께 뿔뿔이 흩어져 간다
공사장엔 어둔 적막만이 남는다

변하지 않았음이

변하지 않았음이 더 변한 게 아니냐며 소리치던 그대는 밤 늦어 찬바람 속으로 사라져 갔다

이 세상 어디나 하수상한 바람은 불어도 세월은 가고 씁쓰레한 그대 웃음소리 가슴 안에 차곡차곡 쌓여가도 어두운 하늘은 가깝다

꿈이 아니라고

꿈이 아니라고
눈 부비고 바라보면
그대는 허리 굽혀 벽돌을 쌓고
또한 그대는
무거운 벽돌을 아이처럼 업고
한 계단 두 계단 세지도 않고 계단을 오른다
꿈을 심으면 허망한 물거품이 되고,
노동을 심으면 누군가 살아갈 집이 되는 여름 한낮에
그대 흘리는 땀방울
가쁜 숨소리가
길이란 길은 모두 안개 자욱한 소금밭을 만드는
신성한 노동의 천국,
아파트 공사판

보름달

저 육중한 두개의 빌딩 사이로
버티고 선 안테나를 헤집고
초래청 앞에 선
수줍은 처녀처럼

흰 구름 몇 송이
정답게 어우러진
하늘 꽃밭을 지나
밝고 환하게
내 마음을 비끄러매는 얼굴이여

밤에

밤마다 몸을 뒤채며
잠을 이루지 못한다
전신의 마디마디가 쑤시고
정신은 갈수록 맑아져
새벽녘이면
온 세상이 한눈에 찬다

살아 갈수록
마음 벌판에 바람은 세차게 불어
겨우 싹 터서 꽃 피우려는
연약한 나무를 쓰러뜨리고
며칠씩 얼굴이 핼쓱하도록
앓아눕게 한다

밤은 오고
또 밤은 가는데
날려 보낸 꿈의 새들은
간이역에 내려 어디론가 사라져버렸는지

돌아오지 않고
소리 지를 수도 없고
노래 부를 수도 없고
신음할 수도 없는
밤의 여울목에서
끊임없이 나는 몸을 뒤챈다

연장을 챙기며

먹고 사는 게
이리도 고달프냐.
생각하면
이렇게 시달리고
이렇게 싸우는 것도
고개 숙인 채 걷는 것도
삶은 삶일 것인데,
내가 왜 이렇게 사는가
물음은 더욱 더 끝없고
불끈 불끈 치솟는
죽고 싶음은
더욱 부질없는 데
속없이 나는
먹고 잠들고
깨어나고……
땅이 꺼져라 한숨짓는
연장을 챙긴다

촛불

어둠 내리면 못 간다고?
아니지, 그렇지 않지,
우리 사는 세상이 그러하듯
어둡고 낯선 길 조심조심 찾아 나서면
풀숲에선 귀뚜라미 울고
어둠이 커튼처럼 내린 먼 산자락
검은 나무숲에선 산새
'두려워 말라' 등 두드려 주고
아무리 눈 씻고 본들
살아 있는 불빛 하나 보이지 않아도
가슴 속에 살아 있는 촛불 하나 있으면
깊고 깊은 잠 속에 빠진 사람들
흔들어 깨울 것이니

내가 너의 이름 부를라치면

내가 너의 이름 부를라치면
차가운 벽 속의 너는
아무런 대답이 없다

내놓을 것 하나 없지만,
부모님 아직 젊으시고, 동생들 속 안 썩이니,
내 몸 하나 바쳐도 두려움 없다며
씩 웃던 네가

어쩌다 여름 가을 숨어 보내고
엄동설한에 쫓기는 몸 되어서
느닷없이 한 번씩
"형님 저 잘 있습니다."
수화기를 통해서 전해오던 너의 목소리

잡혀도 왜 삼등열차에서 혼곤히 잠자다 잡혔단 말이냐
행여라도 용기 잃지 말아라
주눅 들지도 말아라

우리 사는 곳
사는 모습 다를지라도
그날을 기다린다면,
그날만 생생하게 살아서 나타난다면,
그날이 곧, 오늘이고
오늘이 기쁨이 아니겠느냐

목만 내놓고

해가 지고
어둠 스며들면
돌아가는 길
내쉬는 한숨에
발걸음조차 흔들리고

돌아봐도
돌아봐도
후회만 메아리로 돌아와
별빛같이 스며든다

가슴 안에
나뭇잎은
소리 없이 쌓여
흠칫 놀라 깨어나면
무수한 죽음의 바다에
목만 내놓은 내가
두둥실 떠 있다

작아지고 작아져

이러다간
작아지고 작아져
눈으로도 안 뵈고
현미경으로 유심히 보아도
내 속에 깃든
분노와 증오와 미움만 살아 있는
노여움의 바다에서
허우적대다
기어이 쓰러져
못 일어나고 말 것인가?

끝내는
작아지고 작아져서
미세한 입자가 되어

| 발문 |

존재는 허망한 것이다. 그러나 그것은 영원한 것이다.

– 도스토옙스키

| 발문 |

나의 문학 이력서

– 신정일

내가 태어난 곳은 전라북도 진안군 백운면 백암리 상백암 흰바우 마을이다. 집은 가난했고 초등학교가 정규교육의 끝이었다. 열다섯 살에 현실의 삶을 포기하고 새로운 삶을 살기로 결심했다.

"절로 들어가자. 절에 들어가 중이 되어 온 세상을 떠돌며 살자."

출가出家를 결심한 것이다. 언제였던가, 책에서 보았던 지리산 자락의 화엄사가 떠올랐다. 전라선 열차를 타고 구례구역에 내렸고 굵게 패인 주름살이 세월의 두께를 짐작케 하는 어떤 스님 방에 나는 들어갔다.

"어디서 무슨 일로 왔느냐"

"예 전주에서 중이 되고자 왔습니다."

"그래 무슨 사연이 있어 왔느냐."

"스님이 되고 싶습니다."

내 의도를 알아차린 스님은 더 이상 묻지 않고 내가 묵을 방을 알려주었다. 그곳에서 나무를 하고 방을 치우고 밥하고 치우고 빨래하는 것을 거드는 허드렛일을 하며 지냈다. 절에 온지 두어 달을 앞둔 어느 날이었다. 스님이 나를 불렀다.

"애야, 힘들지 않느냐."

한참 동안을 나를 바라보고 계시던 그 스님이 나직한 목소리로 내게 말했다.

"내가 너를 지켜보았는데, 너는 아무래도 절에는 맞지 않고 세상에 나가서 사는 게 좋겠다."

나는 눈앞이 캄캄했다. 내가 처음으로 선택한 길, 더 이상 갈 곳이 없는 막바지라고 찾아온 곳에서 나가야 되다니. 내 생각과 관계없이 스님의 말씀은 이어졌다.

"물론 네가 큰마음 먹고 찾아와 두어 달 동안을 머문 이곳에도 길이 있지만 사람의 마음이나 생김생김이 제각각 다르듯이 길은 여러 가지가 있단다. 네가 건너가야 할 수많은 길이나 강江은 여기에 있는 것이 아니고 다른 데 있는 것 같다. 세상에 태어나서 살다가 가는 것 모든 것이 다 길이지만 너만을 위한 길이 세상에는 예비 되어 있단다. 그리고 세상에선 누구나 혼자란다. 그 혼자의 길을 가거라, 가서 세상의 바다를 헤엄쳐 보아라."

그게 어렴풋한 기억 속에 스님이 내게 한 말씀의 요지였고 스님과 맺은 인연은 그것으로 끝이었다. 더 이상 내가 스님에게 매달리는 것은 무망하다는 것을 스님의 눈빛을 보면서 온 몸으로 느꼈다. 마지막 밤이었다. 이른 저녁 공양을 끝내고 내가 기거하던 방에 누워있는데, 내가 그렇게 한심할 수가 없었다. 어디로 갈 것인가? 반짝이는 별빛 사이를 한 무리의 구름이 지나가고, 그 밤도 덩달아 어디론가 흘러서가고, 그 때 한줄기 바람이 내 뺨을 스치고 지나가며 속삭이는 것 같았다.

"너무 걱정하지 마, 길은 어딘가로 이어질 거야"

어린 내 영혼은 상처와 절망이 뒤범벅이 된 채로 절을 나설 수밖에 없었다. 나의 행자行者아닌 행자. 나의 스님 아닌 스님 생활은 그렇게 끝이 났다. 그리 멀다고도 할 수 없는 화엄사에서 구례구역까지 걸어 나오면서 나는 '인생이란 예기치 않은 일들로 가득 찬 놀라운 것들로 가득 차 있는 것인지도 모른다.'는 생각을 하고 걸어 나왔다. 구례구역에서 여수로, 여수에서 배를 타고 부산으로, 그때 나의 운명의 고난의 시절이었고 두어 달여 만의 고행 끝에 집으로 돌아왔다. 이집 저집에서 빌려 온 책만 읽으며 지냈다.

내 나이 열여섯에 지금은 임실치즈마을로 이름이 난

중화성리로 이사를 갔다. 그 마을은 내 인생의 고적하고 쓸쓸한 유배지였다. 방 한 칸 부엌 한 칸이 있는 작은 집, 그곳에서도 내게 가장 크게 각인되어 있는 곳이 방房이었다. 그 방은 곧 내게는 탈출하고 싶어도 출구가 없는 무서운 감옥이자, 더 할 수 없이 커다란 우주와 같은 교실이었다. 말 그대로 감옥살이였고, 좋게 말하면 책 감옥이었다. 나의 노동은, 곧 책을 읽는 것이었고, 달리 스승이나 친구가 없었던 나에게 책은 스승이자 친구였다. 책벌레나 다름없이 보낸 시절이었다. 대부분 빌려서 읽는 책이었지만 나는 도스토예프스키, 카뮈, 프란츠 카프카를 만났다. 가난한 집에서 돈도 벌지 못하면서 니체, 사르트르를 비롯한 세계문학과 세계 사상전집, 그리고 한국문학 전집 등 온갖 책만 읽다가 1975년 5월 6일 군에 입대를 했다.

그리고 우여곡절 끝에 40여 년의 시간이 지나갔다. 내 삶의 굽이를 돌이켜 본다는 것조차 아득할 만큼의 시간이 지나간 것이다. 하지만 나는 아직도 세상을 잘 모르고 배움에 허기져 있다. 이런 내 사정을 조물주가 알아준 것일까. 화엄사 그 스님의 법력이 작용한 것일까. 허기에 답하기라도 해야겠다는 듯 나는 어떤 인연으로 시집을 내게 되었다. 그런데 시집 끝에 해설이나 발문을 붙여야 한다는 것을 깜

박했다. 이를 어쩌랴. 나 또한 문청시절이 있었고 글에 밝은 지인이 없는 게 아니다. 하지만 새삼스럽게 누구에게 원고청탁을 하기가 영 부담스럽다. 하여 이렇게 내 이력을 잠깐 소개한다. 그리고 시와 사뭇 거리가 있어 보일지라도 젊은 시절 문학에 심취해서 보냈지만 역사서를 쓰는 오랜 도반 이덕일 선생의 글을 붙임으로써 발문에 대신한다.

미련한 짓을 고집스럽게 계속하는 '현대판 김정호'

– 이덕일(역사학자)

"박제가 되어 버린 천재를 아시오?"라는 물음표로 시작되는 이상의 「날개」를 모르는 사람은 없으리라. 나는 인생을 반 이상 살면서 스스로 박제가 된 자칭 '천재'들을 많이 만났다. 세칭 규격화된 교육을 충실히 받고 일류대를 우수한 성적으로 나와 남들이 선망하는 직업을 가진 '박제 천재'들 말이다. 그런 이들을 만날 때마다 나는 속으로

'진정한 천재를 한번 만나봤으면 소원이 없겠다'고 읊조리곤 했다. 그런 내가 사람들 앞에서 진반농반 '천재'라고 일컫는 유일한 인물이 바로 신정일 선생이다. 내 말이 의심스러운 사람은 그가 매일 새벽 띄우는 '강물이 흐르듯 내 마음도 흐르고(http//cafe.daum.net/sankang)'를 읽어보라. 매일 새벽 동서고금을 자유롭게 넘나들며 펼치는 사유는 그가 지닌 지식의 깊이를 잘 말해준다.

자유롭게 광대한 사유의 세계는 역설적으로 그가 이른바 교육부의 혜택을 별로 많이 받지 못했기에 가능했다고 나는 믿어 의심치 않는다. 세속어로 가방끈이 길었으면 그 역시 그렇고 그런 유한계급의 '박제천재'의 일원으로 공자의 말씀이나 토해내고 있을 것이다. 우리 사회 제도권이 주입하는 강제 지식이 아니라 스스로 자살의 유혹 속에서 삶의 의미를 천착한 끝에 나온 지식이기에 "나의 삶은 한이 있으나 나의 앎은 한이 없다.(吾生也有涯 而知也無涯[장자莊子]양생편養生篇)"는 경지에 다다랐다고 나는 믿는다.

나는 오래 전 (2002년) 신정일 선생이 쓴『한국사, 그 변혁을 꿈꾼 사람들』의 뒤표지에 그를 다음과 같이 썼다.

"신정일 선생 하면 떠오르는 이미지는 순수와 자유로움이다. 우리말의 '난대로 있다.'는 표현처럼 신정일 선생은 태어났을 때의 순수함을 그대로 간직하고 있는 드문 사람이다. 신정을 선생은 그런 순수함과 자유로움으로 고정관

념을 벗어나 역사를 바라본다."

그의 자유는 순수함이 비탕이 되었기에 붕새(대붕새, 크기가 수천 리에 달하며 한 번에 구만리를 난다는 상상의 새)처럼 세상사의 잣대에 가볍게 구애받지 않는다는 뜻이다. 그런 순수의 눈으로 우리 역사를 바라보기에 '견훤, 정치상, 묘청, 만적, 망이, 망소이, 정도전, 조광조, 정여립, 허균, 박지원 , 황진이, 정약용, 김개남' 등 현실에서 실패한 패자들에게만 시선을 줄 수 있는 것이다. 이들이 승자들이라면 민중들이 어찌 우리 역사에 그토록 한이 많겠는가. 따라서 그가 이들에게 보내는 애정은 그들이 패자이기 때문이 아니라 그들의 패배는 곧 당대의 시대정신의 패배라고 보기 때문이다.

그는 현 시대에 넘쳐나는 위선적 명망가들과는 달리 말과 행동의 일치를 추구한다. 그러나 그는 그 둘을 일치시키기 위해 의식적으로 노력하지는 않는다. 사람 자체가 둘을 분리시켜 사고할 줄을 모르는 까닭이다. 그 엄혹했던 5공 시절 '동학'을 조직적인 운동으로 전개한 최초의 인물이 신선생이었다. 그것도 동학의 현장 바로 그곳에서, 그 시절 그가 가족 친지 아무도 모르는 가운데 모 기관(안전기획부)에 끌려가 곤욕을 치른 이유도 바로 그가 가지고 있던 불온 문서들과 '동학' 관련 서적, 그리고 그가 제주도에서 삶을 위해 치룰 수 밖에 없었던 엄청난 노동 때문이었다. 그 후

그리 길지 않는 시간에 역사는 흘러 동학은 역사의 음지에서 양지로 복권되었고, 그 기념사업에 국가 예산까지 지원되고 종로 한복판에 녹두장군 전봉준의 동상이 세워지는 상전벽해桑田碧海가 이루어졌다.

그런 성과들을 뒤로 하고 언제부턴가 그는 묵묵히 산을 오르고 강과 우리나라의 옛길을 걸었다. 신정일 선생이 처음 펴낸 『동학의 산, 그 산들을 가다』라는 책은 1994년 동학농민혁명이 백주년이 되던 해 《사람과 산》의 동학의 역사와 전개과정을 연재했던 책이다.

언제부턴가 신정일 선생은 걷고 또 걸었다. 산과 강을 걷는 것으로 그치지 않고 줄기차게 글을 써서 연재했고 그것을 책으로 펴냈다. 『나를 찾아가는 하루 산행』, 『신정일의 한강역사문화탐사』『금강』『영산강』『섬진강』 등이 그것들이다. 그는 조선시대의 옛길인 부산에서 서울까지 열나흘 동안 걸은 뒤 『영남대로』를, 해남에서 서울까지 열사흘을 걸은 뒤 『삼남대로』를, 동대문에서 울진 평해까지 열사흘 동안 걸은 뒤 『관동대로』를 펴냈다. 안동대 민속학과의 임재해 선생은 그를 '산을 밟는 답산가踏山家'이자, '산에서 노닐며 산과 대화를 나누는 유산가遊山家'이며, '산을 읽고 삶을 풀어내는 탐산가探山家'라고 평했고, 김지하 선생은 "그가 유목민으로서 삼남 일대의 남조선을 걸어 다니는 민중사상가로서의 실천을 집요하게 물고 늘어지는 한, 우리가 지향

하는 고조선의 원시반본原始返本 즉 '정착적 노마디즘'을 반드시 실현할 수 있을 것임을 확신한다."라고 평하고서 "삼남 일대를 걸어 다니는 민족민중사상가"라고 그를 적극 옹호했다. 호사가들이 그를 '현대판 김정호'로 부르는 이유는 그가 바로 길의 사람이기 때문이다. 주강현 선생에 따르면 "우리는 이 '미련한 짓'을 고집스럽게 해내는 사람이 우리 시대에 존재한다는 사실만 가지고도 천만다행으로 생각해야 한다."라면서 감격해 했다.

그렇다, 길은 그 인생, 그 자체였다. 하지만 『신정일의 낙동강 역사문화탐사』에는 이전 지인들과 함께 걸었던 길과는 다른 고독이 책 곳곳에 짙게 배어 있다. "새벽 두시, 누구도 나를 기다릴 리 없는 태백역에 내려 허름한 여관에 들어간" 외로움 속에서 걸었던 낙동강은 열다섯 살 무렵 입산하겠다고 가출했다가 수백 리 길을 걸어 돌아왔던 '그 아스라한 기억 속의 외로움'과 같은 길이었기 때문이었다. 이 글에서 신정일 선생이 승부역 역무원이 가지 말라던 그 승부터널을 지나며 쓴 글은 언제 읽어도 가슴이 아린다.

드디어 터널 앞에 다다랐다. 한발 한발 천천히 걸어가자 그러나 웬걸 50m쯤 들어갔을까. 코앞도 보이지 않는다. 땀이 비 오듯 흐르고 불현듯 무서움이 밀려온다. 갈 수 있을까? 보이는 것은 아무것도 없고 캄캄한

어둠 오직 내가 앞으로 가고 있다는 막막한 확신 하나로 나는 한발 한발 내딛을 뿐이다. 아무 소리도 들리지 않는다. 내가 걸음을 멈추면 아무 소리도 들리지 않는다. 움직임의 세계에서 모든 것이 정지된 세계로 나는 들어온 것이다. 걸음을 옮긴다. 그런데 철커덕 소리 들리고 나는 화들짝 놀랜다. 알고 보니 자동카메라가 닫히는 소리다. 정신 바짝 차리자 한발 한발 떼어놓는데 그 넓은 좌우측의 철길이 왜 그렇듯 양쪽 발에 차이는지, 이러다가 넘어지거나 쓰러져 다치기라도 하면 나는 끝장이다. 문득 기차가 앞에서 오는 듯한 착각이 들고 어떻게 할 것인가. 벽에 온 몸을 붙인 채 숨죽이고 있거나 철길 가장자리에 납작하게 엎드려 있을 것인가. 감이 서지 않는다. 다행히 그 소리는 착각이었고 온몸에 땀이 흥건하다. 방법은 단 하나밖에 없다. 무사히 이 죽음의 터널을 빠져나가는 수밖에. 나는 너무 경솔하지 않았는가. 아무도 가지 않는 그 강 길을 따라 걸으며 그 순수하고 아름다운 강물을 보고 싶다는 그 열망 하나로 너무 무모한 선택을 하지 않았는가. 불현듯 그리운 얼굴들이 떠오르고 나 자신이 한없이 미워졌다.

어떻게 한다. 이러다 쓰러져 다치게 되면 죽을 지도 모른다. 나는 지금 죽음이 그토록 두려운가, 아니다

"개똥밭에 굴러도 이승이 좋다"거나 "가난에 찌들어도 천내를 받아도 이 세상에 사는 것이 좋다"라는 말 또는 "저승 백년보다 이승 일 년이 좋다"는 우리네 사생관을 나는 믿지 않는다. "죽음이란 저기 또는 여기에 있지 않고 그는 모든 길 위에 있다. 너의 그리고 나의 내면에 깃들어 있다"는 헤르만 헤세의 말처럼 삶이 아름다운 것이라면 죽음 또한 아름다운 것이리라 생각해왔기 때문에 어느 때 죽음이 닥치더라도 나는 그 죽음을 겸허히 받아들이리라 생각하지 않았던가? 그런데도 한발 한발이 천근만근이 되는 듯싶고 내 발걸음 소리가 천둥처럼 크게 울려온다. 무섭고 외롭다. 나는 소리 내어 읊조린다. 신정일 너는 잘할 수 있어! 신정일 너는 잘해낼 거야. 내 소리에 내가 놀라는 시간이 지나고 멀리선 듯 빛이 보이기 시작했다. 희미한 빛 그 빛을 따라가는 그 순간이 얼마나 길었던가. 드디어 나는 승부터널 마지막 지점에 서있었고 그때까지 열차는 오지 않았다. 터널을 벗어나 맨 처음의 침묵을 밟으며 나는 장그르니에의 산문 『지중해의 영감』 중 한 부분을 떠올린다. "삶이 때때로 무섭게 느껴질 때가 있다. 그렇지만 삶의 시작은 얼마나 아름다운가! 그리고 그 삶은 언제나 매일 매일 다시 시작 된다." 나는 그 말처럼 다시 철길에서 발을 떼고 다시 철길을 걸어갈 것이며 어느 날 또 다시 이런 순간에 직면할 것이다. 하지만 나는 이후엔 T.S 엘리어트의 시 한 구절을 꼭 기억할 것이다. "근심할 것과 근심하지 말 것을 분별케 하소서, 조용히 앉아 있기를 가르쳐 주소서." 내가 지나온 승부터널을 한 장의 사진으로 남기고 다시 철교를 지나자 눈빛처럼 희디흰 구절초꽃이 희망처럼 보였다. 그 강가에 늘어뜨린 채 피어있던 한 포기의 구절초는 가슴 조렸던 내 마음의 상처를 씻어 내주는 듯싶었다.

나는 15분 동안 그 터널을 지나면서 10년 동안의 생각을 했을 것이다. 온갖 떠올랐던 상념들이며 온 몸을 흘렀던 땀들은 내 생이 다하는 날까지 내 마음 속에 남아있을 것이라 믿지만 그 역시 흐르는 시간 속에서 어느 날 잊혀지고 말 것이다. 아무도 가지 않는 길 가서는 안 된다고 말리던 길, 그 길에서 나는 무엇을 잃었고 무엇을 얻었는가.

신정일 선생의 삶 전체에서 보듯이 그에게 산과 강, 그리고 길은 이 나라의 역사이자 민중들의 삶이었다. 그 산과 더불어 그 역사와 더불어 그는 산과 강, 그리고 역사의 길을 걸었다. 동학농민혁명 백주년이 지난 뒤 몇 주년이 지나간 어느 봄비 내리던 날, 신정일 선생이 전화를 걸어왔다.

전봉준 장군의 그늘에 가려있는 동학의 맹장 김개남 장군의 109주기 추모제를 거행하고 난 쓸쓸함이 전화에 묻어났다. 그런 쓸쓸함은, "한 방울 두 방울 비 내리는/김개남 장군의 가묘 앞에서/낮술 한 장을 마셨습니다.//큰 뜻을 펼치다가 간 자랑스러운 할아버지로 보다/후손들에게 가난과 고통이라는 짐만 남겨놓은 채/비참하게 생을 마감한/그것이 못내 원망스럽고 그래서 가슴이 아픈 후손들과//어떻게 사는 것이 바르게 사는 것인가/그런 우리는 어떻게 살다 어디로 갈 것인가 생각해 보았습니다. (『강물이 흐르듯 내 마음도 흐르고』:4월19일)"라는 회의로 이어졌다. 1995년에 펴낸 『동학의 산, 그 산들을 가다』에서 "내가 가야할 길이 저만큼 보이고 내가 할 일 또한 정해져 있는 듯싶다."라고 믿었던 그 길이 흔들리는 것인가?

그렇지 않다. 그 또한 사람이기 때문에 이런 회의감에 젖을 때도 있을 것이다. 그러므로 그는 한 자리에 머물지 않고 또 다시 아무도 가지 않은 길을 간다. 신정일 선생은 가끔씩 분노하고 체념하면서도 강과 길과 역사를 통해 새로운 역사복원을 꿈꾸고 그것을 실천했다. 250여 년 전에 실학자 이중환 선생이 불우한 환경 속에서 이 땅에 시대부들이 살만한 곳을 20 년간에 걸쳐 찾아 헤매고 썼던 『택리지』를 이 땅의 구석구석을 걷고 새롭게 펴낸 『신 택리지』 11권을 통해 우리나라 국토 교과서를 다시 썼던 것이다. 서울대 국사학과에서 정년퇴직하고 한림대 한림과학원 교수로 재직하고 계시던 한영우 선생님은 그 책의 추천사를 다음과 같이 썼다.

> 우리가 사는 이 땅을 구석구석 밟아보고, 그 땅의 자연과 물산과 그 땅에 심어 놓은 조상의 문화를 직접 체험하면서 죽도록 이 땅을 사랑해 본 일이 있는가. 2백 5십년 전에 이중환은 불우한 가운데서 그런 일을 했고, 『택리지』라는 명저를 냈다. 150년 전의 김정호도 이 땅의 역사와 문화, 그리고 아름다움을 『대동여지도』로 그려냈다. 그런데, 바로 지금 또 하나의 21세기 '택리지'가 나타났다. 세월이 변하고 국토가 변하고, 문화가 바뀐 이 시점에서 당연히 '택리지'는 다시 쓰여 져야 할 것이고, 그 일을 신정일이라는 문화사학자가 일구어냈다. 비록 분단의 북쪽 땅을 샅샅이 밟아 보지 못하고 일부분만 보았으나 이 책은 왜 우리가 죽도록 이 땅을 사랑해야 하는지를 뜨거운 가슴으로 말하고 있다. 귀중한 현장 사진과 더불어 옛날과 지금이 적절한 조화를 이루면서 땅과 사람의 대화를 그려낸다.

나 역시 신정일 선생의 『신 택리지』를 사람들에 대한 무한한 애정으로 이 땅 구석구석을 누구보다도 많이 걸었던 그의 발이 쓴 국토교과서라고 생각한다. 그는 또 일제가 우리나라를 강점하고서 행정구역을 통폐합하는 과정에서 사라진 90여개의 폐군, 현을 『대동여지도로 사라진 옛 고을을 가다』 3권을 통해 복원해 냈다. 그 외에도 정여립 모반사건인 기축옥사를 재조명하는 연구를 통해 『조선의 천재들이 벌인 참혹한 전쟁』, 그리고 『허균 평전』을 비롯 80여 권의 책을 펴냈다. 그뿐만이 아니다. 부산에서 통일전망대까지 걷고서 책을 쓴 뒤 문체부에 제안했던 길이 국가 정책으로 〈해파랑 길〉로 명명되었고, 〈소백산 자락길〉, 〈변산 마실길〉, 〈전주 천년 고도 옛길〉 등을 만드는 데 힘썼다.

저마다 자신이 옳다고 목청을 높이면서도 실천을 하지 않는 시대가 이 시대이다. 그런데, "배운 것을 실천하지 않으면 안 배움만 못하고 오히려 죄악이 된다." 라는 남명 조식선생의 말씀을 평생 놓치지 않고 실천하고자 하는 사람이 신정일 선생이다.

신정일 선생의 그 삶은 모두가 침묵하던 그 시대의 발언과 마찬가지로 정당한 확신이자 선구자의 길이라고 나는 믿는다. 그래서 나는 오늘도 내일도 그의 도반이고 싶다.